S0-CFO-104

2

Le sage du ghetto

Scénario   Joann Sfar & Lewis Trondheim

Dessins   Manu Larcenet

Couleurs   Walter

Dans la même série :
• Donjon Parade
Tome 1 : Un donjon de trop
Tome 2 : Le Sage du ghetto
Tome 3 : Le Jour des crapauds
• Donjon Zénith
Tome 1 : Cœur de canard
Tome 2 : Le Roi de la bagarre
Tome 3 : La Princesse des barbares
Tome 4 : Sortilège et Avatar
• Donjon Crépuscule
Tome 101 : Le Cimetière des dragons
Tome 102 : Le Volcan des Vaucanson
• Donjon Potron-Minet - dessin de Christophe Blain
Tome -99 : La Chemise de la nuit
Tome -98 : Un justicier dans l'ennui
• Donjon Monsters
Tome 1 : Jean-Jean la Terreur - dessin de Mazan
Tome 2 : Le Géant qui pleure - dessin de J.-C. Menu
• Donjon Bonus
Tome 1 : Clefs en mains, le jeu de rôles - textes de Arnaud Moragues

De Larcenet,
aux Éditions Les Rêveurs :
• Raoul, le jeu de rôle qui sent sous les bras - avec Patrice Larcenet
• Dac Raoul, le supplément - avec Patrice Larcenet
• Dallas Cowboy
• Presque
• On fera avec
• L'Artiste de la famille

Chez Fluide Glacial :
• Soyons fous (deux volumes)
• La Loi des séries
• Bill Baroud, espion (trois volumes)
• À l'ouest de l'infini - avec Julien
• Les Superhéros injustement méconnus

Aux Éditions Glénat, avec Patrice Larcenet :
• 30 millions d'imbéciles
• Ni dieu ni maître ni croquettes

Chez Dargaud Éditeur :
• Lazarr - avec Patrice Larcenet
• Les Cosmonautes du futur (deux volumes) - avec Lewis Trondheim
• Les Eaux lourdes - avec Patrice Larcenet
• Le Temps de chien, une aventure rocambolesque de Sigmund Freud

Chez Dupuis :
• La Vie est courte (trois volumes) - avec Thiriet
• Pedro le coati (deux volumes) - avec Gaudelette

Site internet :
http://www.larcenet.fr.st

De Joann Sfar,
chez le même éditeur :
• Professeur Bell (trois volumes)
• Petit Vampire (quatre volumes)
• Grand Vampire (deux volumes)
• Petrus Barbygère - avec Pierre Dubois
• Troll (trois volumes) - avec Jean David Morvan et O. G. Boiscommun
• Les Potamoks (trois volumes) - avec Jose-Luis Munuera

À l'Association :
• Noyé le poisson
• Le Borgne Gauchet au centre de la Terre
• Le petit monde du Golem
• Pascin (cinq volumes)
• Le Borgne Gauchet
• Petit Vampire Petite Voiture (dans *Lapin*)

Chez Cornélius :
• Les Aventures d'Ossour Hyrsidoux (deux volumes)

Chez Dargaud Éditeur :
• Paris-Londres
• Merlin (quatre volumes) - dessin de Jose-Luis Munuera
• La Ville des mauvais rêves (un volume) - avec David B
• Le Minuscule Mousquetaire (un volume)
• Le Chat du Rabbin (un volume)
• Socrate le demi-chien (un volume) - dessin de Christophe Blain

Aux Éditions Dupuis, avec Emmanuel Guibert :
• La Fille du professeur
• Les Olives noires (deux volumes)

Aux Éditions Nathan :
• Des animaux fantastiques - avec Christophe Blain et Brigitte Coppin
• Contes et récits des héros du Moyen Âge - avec Gilles Massardier

Aux Éditions Bayard :
• Sardine de l'espace (cinq volumes) - avec Emmanuel Guibert

Site internet :
http://www.pastis.org/joann

De Lewis Trondheim,
chez le même éditeur :
• Les Trois Chemins - avec Sergio Garcia
• Le Roi Catastrophe (trois volumes) - avec Fabrice Parme
• Monstrueux (quatre volumes)
• Papa raconte - avec José Parrondo
• Mister O

À l'Association :
• Moins d'un quart de seconde à vivre - avec Jean-Christophe Menu
• Imbroglio
• Lapinot et les carottes de Patagonie
• Nous sommes tous morts - avec Jean-Luc Coudray
• Diablotus
• Les Aventures de la fin de l'épisode - avec Frank Le Gall
• Non, non, non
• Le Pays des trois sourires
• Galopinot - avec Mattt Konture
• Genèses apocalyptiques
• Politique étrangère - avec Jochen Gerner
• Gare centrale - avec Jean-Pierre Duffour
• Les Ineffables

Chez Cornélius :
• Le Dormeur
• Approximativement

Chez Dargaud Éditeur :
• Les Formidables Aventures de Lapinot (huit volumes)
• Les Formidables Aventures sans Lapinot (trois volumes)
• Les Cosmonautes du futur (deux volumes) - avec Manu Larcenet
• Venezia (un volume) - avec Fabrice Parme

Chez Dupuis :
• Petit Père Noël (deux volumes) - avec Thierry Robin

Au Lézard :
• Psychanalyse
• Monolinguistes

Au Seuil :
• Mildiou
• La Mouche

Site internet :
http://www.lewistrondheim.com

© 2001 Guy Delcourt Productions

Tous droits réservés pour tous pays.
Dépôt légal : septembre 2001. I.S.B.N. : 2-84055-693-6

Achevé d'imprimer en mai 2002
sur les presses de l'imprimerie Lesaffre, à Tournai, Belgique.
Relié par Brun, à Malesherbes.

www.editions-delcourt.fr

...Et le Gardien a insisté pour clore la visite par cette fameuse salle Corynthienne ainsi nommée à cause de la colonnade qui l'entoure...

...Vous noterez que chaque colonne est parsemée de motifs en stuc figurant des raisins secs.

Approchons-nous à présent de la porte en bois de merisier. Tout droit sortie de l'imagination d'un Sybarite, cette porte évoque la quiétude intemporelle des Dieux aériens...

Oooh!

Oooh!

Oooh!

KRA

ZONGO!

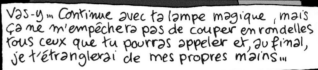

Vas-y ... Continue avec ta lampe magique , mais ça ne m'empêchera pas de couper en rondelles tous ceux que tu pourras appeler et, au final, je t'étranglerai de mes propres mains ...

Tut Tut ! Tu n'y parviendras pas ...

Et pour cela, il me suffit de dire que je ne veux pas mourir étranglé.

4

C'est terrible!

Des raisins secs millénaires et un pan de culture partis en fumée... snif!

Bouhouhou... Une véritable catastrophe archéologique!!

Arrêtez de couiner. Je vais tout remettre en place avec cette lampe magique.

Ne joue pas avec cette lampe, Herbert!!!

Tut Tut! Laisse-moi faire. Hep?! y a un génie, là-dedans?

Oui. Je suis le génie aux mille vœux.

Extra! Tu vas commencer par rendre à cette salle son aspect originel!!!

Ainsi soit fait.

Beuh... C'était pas comme ça... Y manque la colonnade et la porte!

Ces décorations ne sont qu'un apport tardif à l'ornementation de cette salle. Dans son aspect originel, elle était ainsi.

Wah lui, eh...

Je t'avais dit de faire attention... Donne-moi cette lampe.

Non non!

Après, le Gardien va m'obliger à tout refaire tout seul, tout à l'identique...

euh... Alors je veux que les archéologues m'aident à refaire la décoration dans le même style qu'avant.

Ainsi soit fait...

Nous avons trouvé cette lampe magique et le génie qui est à l'intérieur nous a dit qu'il restait un vœu à formuler ...

On pourrait en profiter pour améliorer les repas à la caféteria, non?

Mmh...

Dis-moi, génie ... que se passerait-il si je te demandais de faire revivre celle que j'aime?

Faire revivre un cadavre est faisable, mais je doute que vous appréciiez l'odeur et l'aspect visuel de votre belle Alexandra ...

Je m'en doutais un peu ...

On pourrait aussi installer une plomberie pour l'eau chaude partout ...

Non. Une lampe à souhaits est un artefact très puissant, Herbert. Effectuer un vœu est un acte grave ...

Alors vous allez trouver le sage Mattathias qui vit dans le ghetto de Clérembard et vous me l'amènerez ... Je dois lui demander conseil car c'est l'homme le plus sage que je connaisse.

Clérembard?!!

Mais ce sont les ennemis de mon peuple depuis des générations ... Ils asservissent les oiseaux et une fois l'an, ils les tuent, ils les bourrent de marrons et ils les bouffent!!!

Mattathias n'est pas un chien mais un oiseau ostruchien.

Vous le reconnaîtrez parce qu'il est tout nu et qu'il se balade partout avec une lanterne ... Allez! Filez! Vous devriez déjà être loin!

Oui, Gardien.

PFFF ...

S'en vont Marvin le fier dragoniste!

Et Herbert de Vaucanson, le plus grand des connards.

Non! Des canards!

Ce qu'il lui faudrait, c'est une bonne beuverie, plein de gonzesses lascives qui se déshabillent en dansant et qu'Horous lui greffe un cœur à la place du cerveau.

Sans oublier un bon coup de pied à l'arrière-train pour lui remettre les idées en place...

Waahéé ! Tu m'étonnes, mon vieux !!

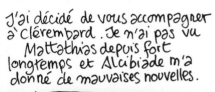

J'ai décidé de vous accompagner à Clérembard. Je n'ai pas vu Mattathias depuis fort longtemps et Alcibiade m'a donné de mauvaises nouvelles.

En plus, je pourrai évaluer par moi-même ce que tu vaux en mission et te rétrograder au nettoyage si le cœur m'en dit.

Oui Gardien.

Et toi, Grogro, avale ce lapin ou crache-le mais arrête de le sucer, c'est dégoûtant.

Hors de question que je m'humilie devant les ennemis de mon peuple !

Moi je suis déjà tout nu, Gardien.

Herbert ! Évitons d'être remarqués... Et on fera également semblant d'être les esclaves de Marvin et Grogro.

Taratata.

BONK

Cet oiseau a des vêtements !! Saisissez-vous de lui !

Non !

On devrait peut-être l'aider, Gardien...

Non... Quand ils l'auront déshabillé, ils le fouetteront soixante fois et on pourra repartir.

NON

Je veux pas !!

Mmm... Je crois pas...

Aucun oiseau ne porte une épée, enlevez-la-lui aussi !

LÂCHEZ-MOI

Qu'un héraut de jadis apparaisse et me venge !

?

blobblob

Bin quoi? Vous devriez m'être reconnaissants. J'ai cassé la figure à ces sales chiens.

Inconscient!

C'est très grave! Les chiens vont croire qu'on se révolte. Ils vont utiliser ça pour venir dans le ghetto, brûler nos maisons et nous faire du mal!

La dernière fois, ils ont attrapé nos enfants avec des fourches et ils les ont jetés dans le feu!

Non! La dernière fois, ils ont arraché des langues, coupé des têtes et joué avec. On doit se tenir tranquilles.

"On ne doit pas porter de vêtements, pas d'armes. On ne doit pas lever les yeux vers eux, pas leur parler. On est des animaux, tu comprends?

Ah oui? Et eux, c'est quoi?

D'où tu viens, toi, d'abord?

De Vaucanson.

Ooooh!

Ooooh!

Ooooh...

"Le pays où les oiseaux sont libres...

Écoutez, on va faire disparaître les cadavres, on va tout nettoyer et personne ne saura qu'il y a eu une bagarre...

Ils sauront. Ils savent toujours... Ils verront qu'une patrouille manque...

Mattathias! Il faut demander à Mattathias!

Mattathias est mourant. Il ne reçoit personne...

Moi, il me recevra.

13

hi hi hi

Sage Matthias, un certain Hyacinthe de Cavallère veut absolument vous voir...

Hi hi... faites-le entrer.

Hi hi hi! Salut Hyacinthe! Ça fait un bail, pas vrai?

Je suis content de te trouver de bonne humeur, Matthias, ça veut dire que tu ne vas pas si mal que ça...

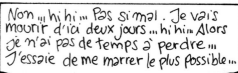

Non... hi hi... Pas si mal. Je vais mourir d'ici deux jours... hi hi... Alors je n'ai pas de temps à perdre... J'essaie de me marrer le plus possible...

Vous connaissez des histoires drôles?

Nous ne sommes pas là pour ça, Matthias, nous avons à formuler un souhait dans une lampe magique et nous voudrions ton avis sur...

Moi j'en connais une, d'histoire...

Herbert! C'est pas le moment!

Si si, jeune homme. Allez-y, c'est même urgent.

Les lampes à souhaits, on s'en fiche, il faut se marrer... hi hi...

Alors accrochez-vous parce qu'elle est à pisser de rire!!

Rhôôô... Vous avez gâché l'effet... faut pas dire que c'est drôle tout de suite!!

Écoutez celle-ci: C'est l'histoire d'un homme qui fait caca tout le temps... Sans jamais arrêter depuis le jour de sa naissance. Et puis un matin, ça s'arrête d'un coup et il croit qu'il est malade... ah ah ah!

C'est une histoire que j'ai apprise quand j'étais enfant et elle me rappelle de bons souvenirs. Ce que j'aime bien, quand on est gosse, c'est qu'on rit des blagues nulles. Pas besoin de se creuser la tête. On rit facile. On est là pour se marrer.

Y en a un qui pète : Tout le monde est mort de rire. C'est ça la sagesse.

Vous savez péter?

Bin quoi? Allez-y. Soyez pas coincés...

PROUÂT

Hi hi hi hi!

Bin mon cochon!

Écoutez celui-là...

PRFTTTT

Ça pue drôlement, dites donc!

Je n'ai aucun mérite! C'est comme ça quand on va crever...

Allez, Hyacinthe, à toi...

Matthias, sois sérieux! Je suis venu ici pour cette histoire de vœu et...

Allez, allez... Pour me faire plaisir...

17

Aloïsus Van Poodle, Duc de Clérembard, prosternez-vous !

Et ouvrez les fenêtres !

Ne m'en veuillez pas si je reste couché, je suis malade.

Et celui-là, qu'est-ce qu'il fait redressé ?

Ma religion m'interdit de me prosterner devant quiconque.

Et ces oiseaux habillés ?!!!

Et cette odeur ?

Qu'est-ce qui se passe ici ?

Il se passe que je vais mourir, alors on faisait un peu les fous...

Fichez-moi tout le monde dans la rue, c'est irrespirable ici. On va s'expliquer dehors.

Ça ne m'arrange pas du tout que tu meures comme ça. J'ai besoin de tes conseils. Alors trouvez-moi le meilleur médecin, ce vieillard m'est utile...

C'est lui le meilleur médecin, Duc.

Merci de votre sollicitude, mais ça ne me gêne pas de mourir. J'ai eu une vie très longue, j'ai beaucoup appris, mais beaucoup souffert aussi...

Je me fiche que ça ne te gêne pas !

Tu m'appartiens, ainsi que ton peuple, et j'entends que tu ne meures pas tant que je ne l'ordonne pas !

Mattathias! Qu'est-ce que je dois faire comme vœu ?

Mattathias !

Je ....

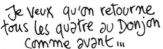

Je veux qu'on retourne tous les quatre au Donjon comme avant ...

C'est parti !

Non. Une lampe à souhaits est un artefact très puissant, Herbert. Effectuer un vœu est un acte grave ...

?!

Alors vous allez trouver le Sage Mattathias qui vit dans le ghetto de Clérembard et vous me l'amènerez ... Je dois lui demander conseil car c'est l'homme le plus sage que je connaisse.

?

Euh .... Gardien, ça va sans doute vous paraître étrange mais vous ne vous souvenez pas qu'on y est déjà allés ensemble ?

Je viens juste de faire le vœu qu'on revienne au Donjon parce qu'on était en train de se faire casser la figure ...

Oui, Herbert, c'est très amusant ! Allez ! Filez ! Vous devriez déjà être loin !

Oui, Gardien.

Tout de même .... J'ai pas rêvé ...

S'en vont Marvin le fier dragoniste !

Et Herbert de Vaucanson, le plus grand des connards.

Oh ça va, hein ...

21

23

Tu es sûr que tu n'as aucun souvenir ?

Absolument.

Un crochet par Zootamauksime comme la première fois...

Eh! Qu'est-ce que tu fais ?!

Je sais que tu n'es pas d'accord, mais je t'ai déjà convaincu que le Gardien a insisté pour qu'on aille y boire un verre à sa santé.

Dis donc, toi... C'est normal qu'il n'y ait que moi qui me souvienne ?

?

Oui car c'est toi qui as fait le vœu.

Et je parie qu'il te reste encore un vœu à faire puisque dans ce lien temporel, tu n'as pas exaucé le millième vœu...

Ça me fait mal au cœur mais oui.

Eh, Herbert, t'as piqué la lampe du Gardien!

T'inquiète... Il va nous rejoindre à l'auberge et je la lui rendrai.

Euh... Génie de la lampe... Si je demandais de revenir trois heures dans le passé mais en étant très riche, j'aurais encore un vœu à formuler ?

Non car tu changerais un détail du passé.

Et le vœu d'avoir mille nouveaux vœux ?

Tu peux te gratter.

22

Canards qui puent.

Qui puent la patate.

Je croyais que tu voulais une bière ...Tu écris quoi?

Des trucs qui vont arriver et que le Gardien va dire ...

... Car il faut bien le dire, le Gardien croit tout savoir mais c'est un petit prétentieux ...

Ce qu'il lui faudrait, c'est une bonne beuverie, des gonzesses qui se déshabillent ...et que Horous lui greffe un autre cerveau ...

... Sans oublier un bon coup de pied à l'arrière-train pour lui remettre les idées en place ...

Bienvenue, Gardien. Voici un papier que vous ne devez pas lire avant d'être remonté sur votre Vanderbeck.

Et voici la lampe que vous êtes venu chercher avant d'aller à Clérembard. Alcibiade vous a donné de mauvaises nouvelles du Sage.

Bon ... On y va?

Vous me remercierez plus tard.

Et toi, Grogro, avale ce lapin ou crache-le mais arrête de le sucer, c'est dégoûtant.

Merci, Herbert. Grâce à cette belle lettre archi-illisible, je me souviendrai qu'il faut faire sécher l'encre avant de plier le papier ...

23

Je vous jure, Gardien... On va se mettre dans un pétrin pas possible... Au moins, atterrissons près de chez Maltathias. Je sais où il habite...

Laisse-moi deviner... Et tu as écrit l'adresse sur une autre feuille qui, elle, a brûlé ?

Tenez, c'est ici.

Et tu n'entres pas parce que tu aurais honte de t'être trompé ?

Non... Parce qu'il va péter et vous demander de faire pareil. Ça va une fois.

Herbert ! Il se passait quoi, après ?

Le Duc et plein de soldats arrivaient et puis on se battait... d'ailleurs les voilà...

Des oiseaux habillés !! Attrapez-les !

MARVIN! GROGRO!

Non! Ça sert à rien!

Eh! Herbert! Tu fais quoi?!

Je nous resauve la vie...

Le Gardien et moi voulons retourner avec Grogro et Marvin au Donjon comme avant!

Comme ça, au moins, on pourra rentrer sans problème...

ээh!

ээе!

ээh!

ээе!

Mais quand ils vont être rétablis, ils vont nous massacrer...

Et après ? C'est pas ce que vous vouliez ?

Oui, mais... non... pas exactement...

Il faut que Mattathias nous aide.

Mattathias est mort.

Hi hi... Coucou, je suis re-né !

Coucou René...

Non, je ne m'appelle pas René, j'ai juste ressuscité.

ah ? C'est comme vous voulez...

Sage Mattathias, aide-nous...

Nous risquons des représailles...

Va plaider notre cause chez le Duc...

Mes amis, je ne peux pas... Cette renaissance fait de moi un être neuf...

Et René me paraît être un bon prénom. Tiens. Prends ça, je m'en vais.

Mais Mattathias...

Comment on va faire sans toi ?

Débrouillez-vous. J'ai une nouvelle vie... je ne suis plus le Sage.

Hyacinthe, accepterais-tu de voyager avec l'inconnu que je suis ?

Tant qu'il n'y a pas de concours de pets, oui.

Tenez ... Posez-moi là, je serai très bien.

Mais ? Il n'y a rien, c'est juste une prairie ...

Aujourd'hui c'est une prairie, mais demain ce sera peut-être un champ de carottes, un hôpital, ou un terrain pour jouer aux boules ...

L'avenir est plein de surprises. Hi hi hi ... Au revoir.

Au revoir, Mattathias.

Mattathias ... euh, René, juste une question : vous auriez fait quoi, comme vœu ?

A' quoi servirait un vœu, jeune homme ?

Vous avez un cerveau et un corps ... Réalisez vous-même vos souhaits.

Si c'était si facile ...

Bien sûr ... Alors commencez comme moi par quelques acres à défricher.

Bon retour.

Herbert, tu n'as pas l'air convaincu par ce qu'a dit le Sage ...

Non ... Je me demandais juste quand le Gardien s'apercevrait que Grogro a un Ostruchien dans la bouche ...

30

Joann Sfar, Christophe Blain & Manu Larcenet - le 21-05-2001